Mymryn o C

Meinir Pierce Jones

Lluniau gan Jac Jones

CYFRES BYD LLIWGAR MABON A MABLI

Mae'r stori hon i Iolo – MPJ

Argraffiad cyntaf – 2005

ⓑ y stori a'r cymeriadau: Mudiad Ysgolion Meithrin ©
ⓑ y lluniau: Jac Jones ©

ISBN 1 84323 585 4

Dymuna'r cyhoeddwyr gydnabod cymorth
Adrannau Cyngor Llyfrau Cymru.

Argraffwyd gan Wasg Gomer, Llandysul,
Ceredigion SA44 4JL
www.gomer.co.uk

Mae Mabon a Mabli wedi dysgu Mymryn
i nôl papur newydd o'r siop.

Dyna dric da!

Fydd Mymryn ddim dau funud. Mae'r siop rownd y gornel.

Ta, ta, Mymryn. Brysia'n ôl.

Sssh! Mae rhywun yn dod . . . ac yn chwibanu'n braf.

Dim Mymryn, does bosib!

Gwynfor y dyn llefrith!

'Dau beint heddiw, plîs. Welsoch chi Mymryn o gwmpas?'

Glywch chi sŵn rhywun yn snwffian?

Glywch chi sŵn pawennau melfed Mymryn?

'Bore da, Misus Edwards!

Rydych chi wedi cael annwyd. Mi ddylech chi fod adre yn y gwely!'

Bydd Mymryn yn siŵr o ddod toc!

O, mae o wedi dysgu mewian!
Dyna dric gwych!

Micsimocsan, cath drws nesa sydd yma!

'Helô pws. Wyt ti wedi gweld Mymryn?'

Mae'r giât yn gwichian!

Ydy Mymryn wedi cyrraedd â'r papur newydd?

Drrring! Drrring!

Megan sydd wedi dod i ddangos ei beic newydd. Crand iawn!

Ond mae Mabon a Mabli yn poeni'n ofnadwy am Mymryn.

Ydy o wedi mynd ar goll? Ydy o wedi cael damwain?

'Pan ddaw Mymryn yn ôl, dwi am ddysgu tric gwell iddo fo. Dwi am ei ddysgu i ddal pêl.'

'A dwi am ei ddysgu i reidio beic.'

Bow wow! Bow wow!

Diolch byth! Mae Mymryn wedi cyrraedd yn ôl. Mae Mabon a Mabli wrth eu bodd ac yn ei anwesu'n frwd.

Ond mae Mymryn yn chwarae tric ar Mabon a Mabli.

Mymryn drwg o dwll y mwg!
Bow wow!